I SPY

A BOOK OF PICTURE RIDDLES

视觉大发现

HAHA WU

哈哈屋

[美]吉恩·玛佐洛 文　　[美]沃尔特·维克 图

张玉婷 译　金 波 审译

接力出版社
Publishing House

桂图登字：20—2007—043

本书中文简体版权由博达著作权代理有限公司代理

图书在版编目（CIP）数据

哈哈屋／（美）玛佐洛文；（美）维克图；张玉婷译.—南宁：接力出版社，2007.8
（I SPY视觉大发现）
ISBN 978-7-80732-970-1

Ⅰ.哈…　Ⅱ.①玛…②维…③张…　Ⅲ.智力游戏－儿童读物　Ⅳ.G898.2

中国版本图书馆CIP数据核字（2007）第122138号

责任编辑：曹　敏　　美术编辑：郭树坤
责任校对：张　莉　　责任监印：刘　签
版权联络：周梅洁　　媒介主理：代　萍

社长：黄　俭　　总编辑：白　冰
出版发行：接力出版社
社址：广西南宁市园湖南路9号　　邮编：530022
电话：0771-5863339（发行部）　5866644（总编室）
传真：0771-5863291（发行部）　5850435（办公室）
网址：http://www.jielibeijing.com　　http://www.jielibook.com
E-mail：jielipub@public.nn.gx.cn

经销：新华书店

印制：北京尚唐印刷包装有限公司
开本：889毫米×1194毫米　　1/16
印张：2　字数：30千字
版次：2007年9月第1版　　印次：2008年8月第5次印刷
印数：90 001—110 000册
定价：12.80元

版权所有　侵权必究

目 录

满书都是图画谜，动动脑，看仔细，
所有谜底都找到，大侦探里我第一。

大侦探　找找看
卖气球喽

一把扇子和鹿角，还有五艘白帆船，
一头鲸在空中游，有只风筝没线牵。

大侦探，别发愁，小红提桶和海鸥，

八只蝴蝶和靴子，猫头鹰的眼睛要搜一搜。

大侦探，找找看，Y字上面带斑点，
铲子、苹果和鹌鹑，打着领带的是男人。

小号、铃铛和网球拍，班卓琴要猜一猜，

两只哨子，一座钟，找找带DOT（点）的积木是哪块？

大侦探 找找看
哈哈镜

大侦探，来猜谜，一匹马儿没人骑，

剪刀，哨子，衣服夹子，一只蜘蛛要去哪里？

蛋卷冰激凌上有樱桃，红黄色的字母box没处逃，

再把书本倒过来看，红色的狐狸往哪里跑！

大侦探 找找看
马戏团
乐队

大侦探，来办案，一只鸟儿飞上天，
找到一把班卓琴，还有旧瓶盖和王冠。

三只顶针找一找，挂锁、扣子和字母B，
一条漂亮的热带鱼，还有单词DO RE MI。

蝴蝶飞，企鹅叫，小丑拉着只白海豹，

长颈鹿正在瞄，玩具摩天轮要找到。

三把宝剑挂起来，可爱的鸭子和鸵鸟，
如果还是找不到，一扇扇门里来瞧一瞧。

大侦探，猜一猜，一只鞋子飞起来，
蓝色图钉和硬币，方块J的扑克牌。

大侦探，找找看，飞机、足球在哪边？
勺子、门和棒球棒，扑克牌上的单词CAT（猫）。

大侦探，看仔细，五个晾衣夹挺容易，

一朵玫瑰，一条鱼，镜子里有个大象鼻。

一个奶嘴很好找，发卡、猴子和宝剑，

小圈圈"○"要放在哪里，三个圆圈才能连成线。

大侦探 找找看
木偶剧院

大侦探，别找错，钥匙、眼罩和天鹅，
火柴、电话瞧一瞧，还有一个小贝壳。

大侦探，真辛苦，红心三颗和喷壶，

十张骨牌要数一数，老人抱着个大蘑菇。

大侦探　找找看
花生和
爆米花

大侦探，找找看，龙虾，滑板，网球拍，
马戏团小旗藏在哪儿，印着马儿的购物袋。

大侦探，不怕难，扣子，篮子，一条船，
半个西瓜，一头熊，半只梨儿找找看。

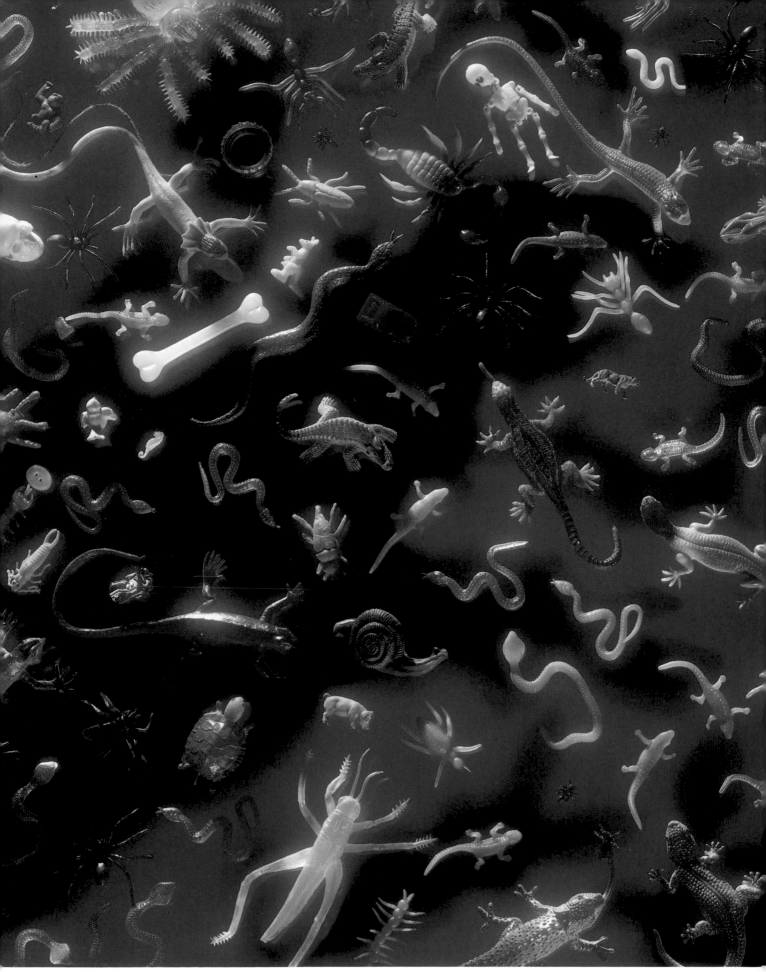

大侦探　找找看
恐怖
爬虫谷

大侦探，不认输，蓝色乌儿和眼珠，

七只蚂蚁数清楚，还有一只小袋鼠。

大侦探，来比赛，海马、鲨鱼猜一猜，
乌龟、蜗牛和麻绳，还有钉子真奇怪。

数字6，不难找，熊猫拿着棒球手套，消防车和三只气球，写有LOVE的短袜藏得妙。

草帽，滑板，字母G，一只漂亮的绿蜻蜓，

六只鸟嘴黄澄澄，还有单词THRILLS要看清。

大侦探，仔细数，找到两只绿老鼠，

三个骰子，一架梯子，提桶的小丑要看清楚。

泡泡糖自动贩卖机，一只蜘蛛，一头豹，

蜜蜂停在鼻子上，黑桃皇后弯着腰。

大侦探 找找画 人行道

三枚安全小别针，一架老式大飞机，
还有个挂拐杖的人，单词WONDER看仔细。

一把勺子，一个图钉，可爱的女孩在跳绳玩，
一个男人拿着拖布，有个人住在月亮里面。

大侦探晋级大挑战

大侦探，我是谁？

 每幅画里都有我，长着两只大耳朵，
滑稽有趣到处扑，我就是一只_____。

找找下面的物品都藏在哪幅画里的哪个地方

哨子，吉他，蛇，钥匙，闪亮的星星。

飞机，圆瓶盖，香蕉，数字3，一只小老鼠夹。

棒球，球棒，老鼠，骨头，熊猫的鼻子，
和反着写的HOUSE（房子）。

小胡子，一颗爆米花，一颗没有剥开的花生，
一只害羞的独角兽。

齿轮，黄蜂，两面红色的旗，一棵绿色的棕榈树。

松鼠，切片的西瓜，老虎的尾巴，一对骰子。

两张小丑脸，两只小牛，在十七个地方都出现过的救火车。

小号，椅子，字母G，磁铁，两辆自行车，一个跪着的人。

铃铛，手电筒，火车，钥匙串上的鞋，松开的糖果串。

蓝色的闪光就要掉下来，盘子，蛇，海豹，皮球。

 提桶，鞋带儿，电话，骨头，一个小小的2。

鹅，棒球，小轿车，消防员的帽子，黄色的星星。

马蹄铁，鼓，玩具笛子，蓝色笔写的单词PINK（粉红）。

趣味谜语DIY

这本"I SPY视觉大发现"系列之《哈哈屋》里还藏着太多太多的东西等待我们去寻找和发现，所以还有更多的谜语可以编写。试着编一编押韵的图画谜语，并和你的朋友一起把谜底找出来！

"I SPY"系列之《哈哈屋》制作大揭秘

这本书里面的所有场景，除《小丑笑脸》和《木偶剧院》是与布鲁斯·莫洛兹科共同设计和建立的之外，其他的所有场景都是由摄影师沃尔特·维克建立的。每个场景的大小约为1.2米×2.4米。这些场景是用木头、布料、玩具、各种道具、各种马戏团用品和很多面镜子组成的。

每当《哈哈屋》的一座场景搭建好以后，沃尔特·维克和吉恩·玛佐洛就开始讨论布景里面的各种物品，根据它们的韵脚、美感和趣味进行选择。这些物品都是隐藏着的，这样读者们在寻找它们的时候才会有乐趣。维克小心地为每个场景设计照明，使得场景有足够的阴影、景深和哈哈屋的气氛。最后，他用8英寸×10英寸的胶片景观照相机为场景拍照。每个场景拍摄完以后就会被拆掉，然后再搭建下一个场景。但是这些场景仍然活在我们的照片上，活在吉恩·玛佐洛所编写的小谜语上，活在《哈哈屋》中的每一次找寻中。

沃尔特·维克 毕业于康涅狄格州纽黑文市的派尔艺术学院。他是"I SPY"系列图书的摄影师，同时还是Scholastic出版社《让我们去发现》和《超级科学》的摄影师。此外他还是《一滴水：自然和奇迹》的作者和摄影师，该书荣获了美国图书馆协会优秀书刊称号，同时获得了波士顿全球/豪恩非小说类图书奖。他的另外一本书——《沃尔特·维克的光学魔术》也获得了美国图书馆协会优秀期刊奖，同时还获得了《纽约时报》最佳插图书籍奖，以及父母评选优秀图书银奖。在从事儿童书籍创作之前，维克先生为《游戏》杂志设计照片游戏，并且为300多本书籍和杂志拍摄过封面，其中包括《新闻周刊》、《探索》和《今日心理学》。

吉恩·玛佐洛 毕业于哈佛大学教育研究生院。任Vassar大学儿童书籍出版和协作研究院的主任。她创作的很多儿童书籍多次获奖，包括"I SPY"系列的八本书，以及"I SPY"后续系列的五本书。此外，她还著有：《十只猫戴帽子》、《我是水》、《我是雪》、《在1492年》、《在1776年》、《生日快乐，马丁·路德·金》、《我的第一本传记书》、《假装你是只猫》、《闭上你的眼睛》、《家，温暖的家》、《太阳之歌》、《妈妈，妈妈》、《你知道吗？》。同时，她还与她的儿子丹和戴维一起创作了很多书籍，包括：《足球朋友》、《曲棍球英雄》、《篮球伙伴》、《篮球兄弟》。吉恩·玛佐洛与卡罗尔·卡森合作了19年时间，共同创办了Scholastic出版社的幼儿园杂志——《我们来找找看》。

卡罗尔·卡森 是"I SPY"系列的策划人和设计者，她是纽约市一家大型出版社的艺术指导。

鸣谢

我们特别感谢Scholastic出版社帮助我们制作"I SPY"系列图书，尤其要感谢的人是：高级编辑格雷斯·马卡罗尼、编辑主任伯纳特·福特、助理出版人简·费威尔、出版人芭芭拉·马可斯，以及埃迪·韦恩伯格、约翰·伊林伍斯、约翰·梅森、多利斯·拜斯、莱罗纳·托达罗、凯西·路斯科、海蒂·萨奇纳、米歇尔·列维、吉尔·奥布赖恩、阿尔林·谢尔恩科、艾伦·巴尔尼、玛丽·马洛塔、南希·史密斯、约翰·希姆克和琳达·塞维奥。

同时，我们还要感谢琳达·谢威尔顿—维克为《哈哈屋》主题所提供的美术建议和所进行的研究，同时还要感谢安伦·普利斯特经纪公司的莫利·弗莱德里奇为我们提供的很多有建设性的指导。

此外，还要感谢摄影助理凯西·奥当内尔不知疲倦地为我们处理各种细节，他和布鲁斯·莫洛兹科共同设计和建立了《小丑笑脸》和《木偶剧院》的场景。感谢魔术师拉里·布兰博尔为《魔术表演》提供了道具，感谢福兰克和瑞·西尔斯把他们收集的马戏团微型人物模型借给了我们。最后，我还要特别感谢所有的展会、马戏团和狂欢节的设计者们，正是他们所创造的独特的视觉效果启发了我们制作这本书。

沃尔特·维克和吉恩·玛佐洛